TINTO

Basisbuch
Sprache • Lesen

2

Das kann ich schon

Das habe ich gelernt

So habe ich gearbeitet

Ich habe

mit einem Partnerkind gearbeitet ☐

Texte gelesen ☐

ein Gedicht aufgesagt ☐

etwas aufgeführt ☐

Texte abgeschrieben ☐

mir Texte ausgedacht ☐

Texte überarbeitet ☐

verwandte Wörter gesucht ☐

etwas in der Wörterliste gesucht ☐

Fatma hat heute Geburtstag.

Sie darf acht Kinder _____.

Fatma deckt den _____.

Auf jeden Platz stellt sie
einen Becher und einen _____.

Über jeden Teller
legt sie eine kleine _____.

Mitten auf dem Tisch steht die _____.

Und auf der Torte steht eine große _____.

Torte • einladen • Acht • Teller • Blume • Tisch

(1) Lies und setze die passenden Wörter ein.

Tim macht lacht seine Hausaufgaben.

Er will ein Wort kochen ausradieren.

Aber wo ist nur Auto der Radiergummi?

Er sucht ihn grün auf dem ganzen Tisch.

Er sucht Jojo ihn in der Schultasche.

Aber er schläft kann ihn nirgends finden.

„Mama, ich suche meinen Ball Radiergummi."

„Hast du auch unter dem Fisch Tisch nachgesehen?"

Tim schaut malt schnell unter den Tisch.

Da sitzt Fuß Tinto und spielt mit dem Radiergummi.

1 In jeder Zeile steht ein Wort,
das nicht zur Geschichte passt.
Streiche diese Wörter durch.

Was ist mit Lena?

Lena ist nicht in der Schule. Jonas fragt
die Lehrerin, warum Lena nicht da ist.
Aber die weiß das auch nicht.

Jonas mag Lena sehr gut leiden.
Am Nachmittag ruft er Lena an.
Ihr Opa ist am Telefon. Lena ist krank.
Sie hat hohes Fieber.

„Kann ich Lena besuchen?", fragt Jonas.
„Ich bringe ihr auch die Hausaufgaben mit."

„Das ist nett von dir. Aber wir wissen nicht,
was Lena hat. Gleich gehen wir zum Arzt.
Wenn Lena keine ansteckende Krankheit hat,
dann darfst du sie gerne besuchen."

„Soll ich Ihnen die Hausaufgaben
am Telefon erklären?", will Jonas wissen.

„Ach, weißt du, solange Lena so krank ist,
braucht sie keine Hausaufgaben zu machen",
erklärt ihr Opa. „Na, so was", denkt Jonas,
„krank sein ist vielleicht gar nicht so schlecht."

Wer fehlt in der Schule?

☐ Lena

☐ Tim

☐ Fatma

Was ist mit Lena?

☐ Sie hat verschlafen.

☐ Sie hat sich ein Bein gebrochen.

☐ Sie hat Fieber.

Mit wem spricht Jonas am Telefon?

☐ mit Lenas Opa

☐ mit Lenas Mutter

☐ mit Lenas Oma

Wann darf Jonas Lena besuchen?

☐ Wenn er Lena in der Schule entschuldigt.

☐ Wenn er Lena die Hausaufgaben genau erklärt.

☐ Wenn Lena keine ansteckende Krankheit hat.

Warum ruft Jonas bei Lena an?

_____

_____

1 Kreuze die richtigen Antworten an. Beantworte die Frage.

Kartoffeln pflanzen

Emilia und Pia pflanzen Kartoffeln

sie graben zwei tiefe Löcher.

In jedes Loch sie eine Kartoffel.

Dann füllen sie Erde darüber

die klopfen sie schön fest.

Daneben stecken Emilia Pia

einen kleinen Stock. So wissen sie,

wo die Kartoffeln in der Erde liegen.

Ob sie im Herbst wohl viele Kartoffeln ernten?

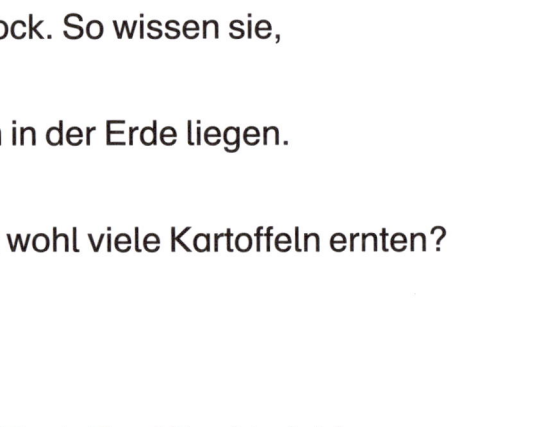

(1) Überarbeite den Text. Zwei Punkte fehlen.
Achte auf die Satzanfänge danach.
Ergänze die zwei fehlenden Wörter.

Passende Überschriften finden

Planeten sind große Himmelskörper, die nicht
selber leuchten. Sie kreisen zum Beispiel
um die Sonne. Weißt du, wie viele Planeten
um die Sonne kreisen? Es sind Merkur, Venus,
Erde, Mars, Jupiter, Saturn, Uranus und Neptun.
Der Merkur ist der Sonne am nächsten,
der Neptun ist am weitesten von ihr entfernt.

1 Welche Überschrift passt zu dem Text?
Kreuze an.

☐ Der Himmel ist schwarz
☐ Es gibt keine Planeten
☐ Planeten kreisen um die Sonne

_____

Bis vor Kurzem zählten Wissenschaftler
auch den kleinen Pluto zu den Planeten.
Manche meinen, er sei eigentlich nur ein Komet.
Die meisten bezeichnen ihn nun
als einen Zwergplaneten.

2 Finde eine Überschrift für den Text
und schreibe sie auf die Linie.

Diese Seite fand ich: ☐ leicht ☐ mittel ☐ schwierig

Tim ist hungrig und _____
_{schauen}

in den Kühlschrank.

Dort _____ er
_{entdecken}

seinen Lieblingsjoghurt.

Tim _____ sich.
_{freuen}

Mmh, der _____ lecker!
_{schmecken}

1 Setze die Verben in der richtigen Form ein.

eine _____   mehrere _____

ein _____   mehrere _____

ein _____   mehrere _____

eine _____   mehrere _____

2 Schreibe die Nomen in der Einzahl
und in der Mehrzahl auf.

dick – _____   warm – _____

leicht – _____   langsam – _____

trocken – _____   billig – _____

3 Schreibe zu jedem Adjektiv den Gegensatz.

schleichen • Tinto
Fell • Pfote • Kater
kratzen • klettern
leise • schlafen • weich
geschickt • fangen
hungrig • schnurren
Garten • schwarz
Futter • zutraulich

4 Markiere die Nomen blau, die Verben rot
und die Adjektive grün.

_____

_____

_____

1 Finde drei zusammengesetzte Nomen.

Jonas kann seine Halsschmerzen
kaum _____.

An der roten Ampel
muss Tims Mama _____.

Fatma darf das Buch _____.

behalten   anhalten   aushalten

2 Lies die Sätze. Setze die passenden Verben ein.

Diese Seite fand ich: ☐ leicht   ☐ mittel   ☐ schwierig

Tim, komm und hilf mir

Heute ist kein Kind krank

Wo hat Tinto sich nur versteckt

Lena, ruf nicht immer dazwischen

Wer hat Fatmas Bleistift gesehen

Jonas hat ein spannendes Buch ausgewählt

1 Lies die Sätze und setze die Satzzeichen: **. ? !**

| verschläft | der Igel | den ganzen Winter |

| auf dem Spielplatz | heute | alle Kinder | spielen |

_____

_____

_____

_____

2 Bilde zwei Sätze.

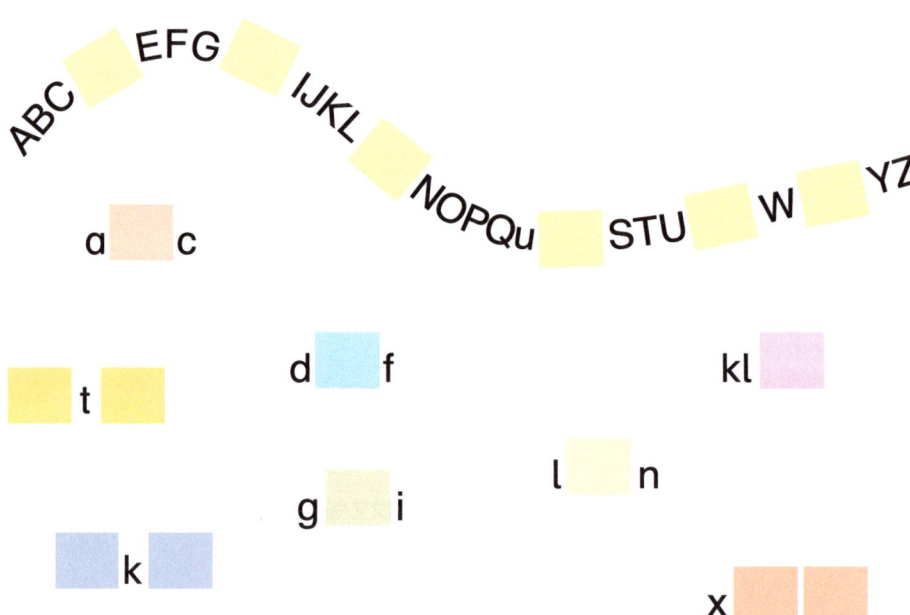

EFG

ABC   IJKL

NOPQu   STU   W   YZ

a   c

t

d   f   kl

l   n

g   i

k

x

1 Trage die fehlenden Buchstaben ein.

Bär • Ameise • Hund • Kamel
Löwe • Elefant • Tiger • Zebra

_____

_____

_____

2 Ordne die Nomen nach dem ABC.

☐ ☐ ☐ ☐

☐ ☐ ☐ ☐

1 Ist der erste Selbstlaut lang oder kurz?
Sprich die Wörter. Markiere mit ▬ oder • .

_____

_____

_____

_____

2 Schreibe die Wörter aus Aufgabe 1.

W se   H mmel   s ben   Sch ld

K ste   D nstag   v l   K nd

3 Kurz oder lang? Sprich die Wörter.
Setze i oder ie ein.

Väter ←→ _____   Häuser ←→ _____

er trägt ←→ _____   Bäume ←→ _____

zählen ←→ _____   Räuber ←→ _____

länger ←→ _____   sie läuft ←→ _____

1 Schreibe verwandte Wörter mit a oder au.

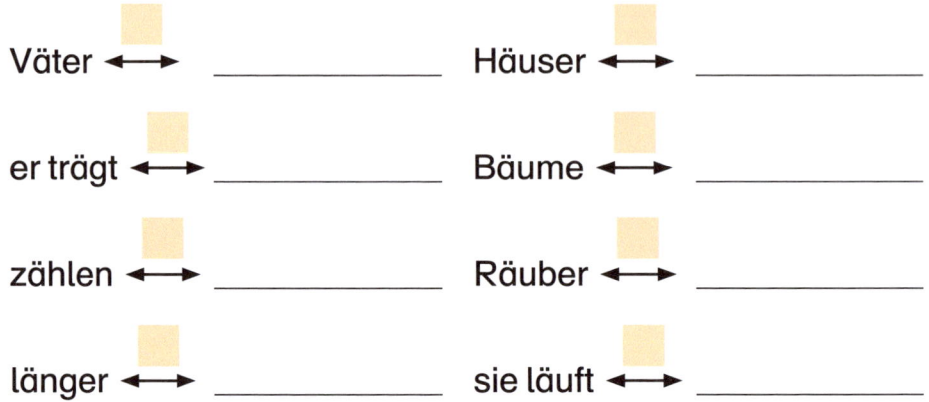

d oder t

Han☐ ←→ _____

Stif☐ ←→ _____

Pfer☐ ←→ _____

run☐ ←→ _____

g oder k

Ber☐ ←→ _____

Musi☐ ←→ _____

Zu☐ ←→ _____

star☐ ←→ _____

2 Suche immer ein verwandtes Wort.
Ergänze die fehlenden Buchstaben.

Datum:
_____

Tippfehler • Lehrerin • fehlerlos
Lehrling • gefehlt • belehren • Druckfehler
fehlen • Lehrerzimmer • Gelehrter

1 Unterstreiche in allen Wörtern
den Wortstamm lehr oder fehl.

lehr: _____

_____

_____

_____

fehl: _____

_____

_____

_____

2 Ordne die Wörter aus Aufgabe 1 zu den Wortstämmen.

3 Finde zu jeder Wortfamilie ein weiteres Wort.
Schreibe es zu den anderen Wörtern.

Das kann ich schon

Seite

In diesem Heft können die Kinder zeigen, was sie gelernt haben. Die Seiten sind nach Lernbereichen geordnet und daher nicht zur aufeinanderfolgenden Bearbeitung gedacht. Die Schülerinnen und Schüler erhalten eine Aufgabe immer dann, wenn sie diese lösen können, sie bekommen die Seiten also zu unterschiedlichen Zeitpunkten. Die Kinder notieren das Datum, bearbeiten die Seite und kreuzen an, wie leicht es ihnen gelungen ist, die Aufgaben zu lösen. Auf der Heftrückseite dokumentieren sie ihre Lernerfolge.

Dieses Heft ist Bestandteil des TINTO-Basisbuchs Sprache•Lesen 2 blau.
Es ist außerdem im 10er-Pack bestellbar (ISBN 978-3-06-083966-7).